FONDAZIONE GIORGIO CINI
ISTITUTO ITALIANO ANTONIO VIVALDI

ANTONIO VIVALDI

SONATA
PER OBOE, VIOLINO E ORGANO OBBLIGATO, CON CHALUMEAU AD LIBITUM

F XVI, 11

RV 779

EDIZIONE CRITICA
A CURA DI
PAUL EVERETT

RICORDI

Prefazione generale

I criteri che guidano la nuova edizione critica delle opere di Antonio Vivaldi sono analiticamente esposti nelle Norme editoriali, *redatte a cura del Comitato Editoriale dell'Istituto Italiano Antonio Vivaldi. Se ne offre qui un estratto che descrive, nei termini indispensabili alla comprensione della partitura, la tecnica editoriale adottata.*
L'edizione si propone di presentare un testo il più possibile fedele alle intenzioni del compositore, così come sono ricostruibili sulla base delle fonti, alla luce della prassi di notazione contemporanea e delle coeve convenzioni esecutive.
La tecnica di edizione adottata per opere singole o gruppi di opere è illustrata nelle Note critiche. *Esse contengono di norma:*

1. *Una trattazione dell'origine e delle caratteristiche generali della composizione (o delle composizioni).*
2. *Un elenco delle fonti (comprese le fonti letterarie quando rivestano particolare importanza).*
3. *Una descrizione di tutte le fonti che il curatore ha collazionato o consultato, comprese le più importanti edizioni moderne.*
4. *Una relazione e una spiegazione relative alle scelte testuali derivanti dallo stato delle fonti e dalle loro reciproche relazioni e alle soluzioni adottate per composizioni particolarmente problematiche, non previste nella* Prefazione generale. *In particolare viene specificato quale fonte è usata come* fonte principale *dell'edizione, quale (o quali) sono state* collazionate, consultate *o semplicemente* elencate.
5. *Una discussione sulla prassi esecutiva relativa alla composizione o alle composizioni edite.*
6. *Un apparato critico dedicato alla lezione originale e alla sua interpretazione, contenente la registrazione di tutte le varianti rispetto alla fonte principale e alle fonti collazionate.*

Ogni intervento del curatore sul testo che vada al di là della pura traslitterazione della notazione antica o che non corrisponda a un preciso sistema di conversione grafica qui segnalato, viene menzionato nelle Note critiche *o evidenziato attraverso specifici segni:*

1. *Parentesi rotonde (per indicazioni espressive o esecutive mancanti nelle fonti e aggiunte per assimilazione orizzontale o verticale; per correzioni e aggiunte del curatore laddove nessuna delle fonti fornisce, a suo giudizio, un testo corretto).*
2. *Corpo tipografico minore (per l'integrazione del testo letterario incompleto o carente sotto la linea o le linee del canto; per le indicazioni « solo » e « tutti » aggiunte dal curatore; per la realizzazione del basso continuo per strumento a tastiera).*
3. *Linee tratteggiate* ‿ *per legature di articolazione o di valore aggiunte dal curatore.*
4. *Semiparentesi quadre* ⌐ ¬ *per il testo musicale o letterario di un rigo derivato in modo esplicito (mediante abbreviazione) o implicito da un altro rigo.*

Non vengono di norma segnalati nell'edizione gli interventi del curatore nei casi seguenti:

I) *Quando viene aggiunta una legatura tra l'appoggiatura e la nota principale. Questa regola vale anche nel caso di gruppi di note con funzione di appoggiatura.*
II) *Quando segni di articolazione (per esempio punti di staccato) sono aggiunti a una serie di segni simili per assimilazione, sulla base di inequivocabili indicazioni della fonte.*
III) *Quando la punteggiatura viene corretta, normalizzata o modernizzata; lo stesso vale per l'ortografia e l'uso delle maiuscole.*
IV) *Quando abbreviazioni comunemente usate vengono sciolte.*
V) *Quando pause di un'intera battuta mancanti nella fonte vengono aggiunte, e non c'è alcun dubbio che una parte del testo musicale sia stata inavvertitamente omessa.*
VI) *Quando vengono introdotti dal curatore segni ritmici indicanti modalità di esecuzione.*

L'ordine delle parti strumentali nella partitura segue la prassi editoriale moderna.
La notazione trasposta dell'originale (per il violone, il flautino, il corno) viene mantenuta nell'edizione; nelle Note critiche *viene specificato l'intervallo di trasposizione dei singoli strumenti (con l'eccezione del violone). Parti in notazione di « bassetto » (violini, viole, clarinetti, chalumeaux, ecc.) sono trascritte nelle chiavi di violino e di contralto e nell'ottava appropriata.*

Nelle Note critiche *l'altezza dei suoni viene così citata:*

do^1 —— si^1 do^2 —— si^2 do^3 —— si^3 do^4 —— si^4 do^5

Le armature di chiave sono modernizzate per intere composizioni o per singoli movimenti, e l'armatura di chiave originale è indicata nelle Note critiche. *L'edizione usa le seguenti chiavi: per le parti strumentali, le chiavi di violino, di contralto, di tenore e di basso secondo l'uso moderno; per le parti vocali, la chiave di violino, la chiave di violino tenorizzata e la chiave di basso. Le chiavi originali o i cambiamenti di chiave sono registrati nelle* Note critiche.
Per quanto concerne il trattamento delle alterazioni, le fonti settecentesche della musica di Vivaldi seguono l'antica convenzione secondo la quale le inflessioni cromatiche mantengono la loro validità solamente per il tempo in cui la nota alla quale è premessa l'alterazione è ripetuta senza essere interrotta da altri valori melodici, indipendentemente dalla stanghetta di battuta. Pertanto la traslitterazione nella notazione moderna comporta l'automatica aggiunta di certe alterazioni e la soppressione di altre. Inflessioni cromatiche non esplicite nella notazione della fonte originale, ma aggiunte dal curatore, sono segnalate, quando è possibile, nella partitura, mettendo tra parentesi l'alterazione o le alterazioni introdotte. Se la stessa alterazione è presente nell'armatura di chiave, ovvero appare precedentemente nella stessa battuta, mantenendo dunque, secondo le convenzioni moderne, la propria validità, l'intervento del curatore viene segnalato nelle Note critiche, *dove viene offerta la lezione originale.*
Il basso continuo per strumento a tastiera è notato su due righi. Il rigo superiore contiene la realizzazione del curatore stampata in corpo minore. Essa non è da intendersi tout-court come una parte per la mano destra, dato che alcune note potranno legittimamente essere intese per la mano sinistra dell'esecutore. Il rigo inferiore che, in quanto parte di basso si riferisce spesso non solo agli strumenti del continuo, ma a tutti gli strumenti gravi dell'orchestra, è fornito di tutte le numeriche del basso esistenti nell'originale, stampate sotto di esso. Queste numeriche possono essere, se necessario, corrette dal curatore, che tuttavia non ne aggiungerà di nuove. Le alterazioni sono apposte davanti alle numeriche cui si riferiscono e i tratti trasversali indicanti l'alterazione cromatica di una nota (6̸) sono sostituiti dal diesis o dal bequadro corrispondenti. L'abbassamento di un semitono di una cifra del basso precedentemente diesizzata, è sempre indicata col segno di bequadro, anche se le fonti, talvolta, usano per lo stesso scopo il segno di bemolle. Le indicazioni « solo » e « tutti » nel basso, sempre in carattere minore se aggiunte dal curatore, si riferiscono a cambiamenti nella strumentazione della linea del basso, descritti più analiticamente nelle Note critiche. *Particolari figurazioni ritmiche nella linea del basso non devono necessariamente essere eseguite da tutti gli strumenti del continuo: così, veloci disegni in scala possono essere affidati ai soli strumenti ad arco; a sua volta il clavicembalo può suddividere in valori più brevi lunghe note tenute dal basso, dove questo si addica alla generale struttura ritmica del brano.*
Abbellimenti normalmente previsti dalle convenzioni esecutive dell'epoca vivaldiana sono aggiunti dal curatore tra parentesi rotonde se mancano nella fonte. Se la fonte indica o sottintende una cadenza, nelle Note Critiche *essa viene sottolineata come tale, ma di norma non se ne fornisce un modello.*

General Preface

The guiding principles behind the new, critical edition of the works of Antonio Vivaldi are set out in detail in the *Editorial Norms* agreed by the Editorial Committee of the Istituto Italiano Antonio Vivaldi. We give below a summary which describes, in terms essential to the understanding of the score, the editorial principles adopted. The editon aims at maximum fidelity to the composer's intentions as ascertained from the sources in the light of the contemporary notational and performance practice.
The editorial method employed for single works or groups of works is described in the *Critical Notes*, which normally contain:

1. A statement of the origin and general characteristics of the compositions.
2. A list of sources, including literary sources when relevant.
3. A description of all the sources collated or consulted by the editor, including the most important modern editions.
4. An account and explanation of decisions about the text arising from the state of the sources and their interrelationship, and of solutions adopted for compositions presenting special problems, unless these are already covered in the *General Preface*. In particular, it will be made clear which source has been used as the *main source* of the edition, and which others have been *collated, consulted* or merely *listed*.
5. A discussion of performance practice in regard to the composition(s) published.
6. A critical commentary concerned with original readings and their interpretation, which lists all variations existing between the main source and the collated sources.

All instances of editorial intervention which go beyond simple transliteration of the old notation or which do not conform to a precise system of graphical conversion described below will be mentioned in the *Critical Notes* or shown by special signs:

1. Round brackets (for marks of expression or directions to the performer absent in the sources and added through horizontal or vertical assimilation; for editorial emendations where none of the sources, in the editor's judgement, provides a correct text).
2. Small print (to complete an underlaid text when some or all words are missing; for the editorial indications "solo" and "tutti"; for the realization for keyboard of the continuo).
3. Broken lines ⁄‐ ‐ ‐ ‐ ‐ ‐⁄ for slurs and ties added editorially.
4. Square half-brackets ⌜ ⌝ for musical or literary text derived explicitly (by means of a cue) or implicitly from that on (or under) another staff.

Normally, the editor will intervene tacitly in the following cases:

I) When a slur linking an appoggiatura to the main note is added. This applies also to groups of notes functioning as appoggiaturas.
II) When marks of articulation (e.g. staccato dots) are added to a series of similar marks by assimilation and the source leaves no doubt that this is intended.
III) When punctuation is corrected, normalized or modernized; the same applies to spelling and capitalization.
IV) When commonly-used abbreviations are resolved.
V) When whole-bar rests absent in the source are added, there being no reason to think that a portion of musical text has inadvertently been omitted.
VI) When editorial rhythmic signs indicating a manner of performance are added.

The order of the instrumental parts in the score follows modern publishing practice.
Transposing notation in the original (for *violone*, *flautino*, horn) is retained in the edition; in the *Critical Notes* the interval of transposition of individual instruments (*violone* excepted) will be specified. Parts in "bassetto" notation (violins, violas, clarinets, chalumeaux, etc.) are written out in the appropriate octave using treble or alto clefs.

In the *Critical Notes*, the pitches are cited according to the following system:

C —— B c —— b c' —— b' c'' —— b'' c'''

The key signatures of whole compositions or individual movements are modernized where appropriate and the original key signature given in the *Critical Notes*. The edition employs the following clefs: for instrumental parts, treble, alto, tenor and bass clefs following modern usage; for vocal parts, treble, "tenor G" and bass clefs. Original clefs or clef changes are recorded in the *Critical Notes*.

In regard to the treatment of accidentals, the 18th-century sources of Vivaldi's music adhere to the old convention whereby chromatic inflections retain their validity for only so long as the note to which an accidental has been prefixed is repeated without interruption, irrespective of barlines. Conversion to modern notation thus entails the tacit addition of some accidentals and the suppression of others. Chromatic inflections not made explicit in the notation of the original source but supplied editorially are shown where possible in the score, the one or more accidentals entailed being enclosed in parentheses. If the same accidental is present in the key signature or appears earlier in the same bar, therefore remaining valid under the modern convention, the editorial intervention is recorded in the *Critical Notes*, where the original reading is given.

The *basso continuo* for keyboard is notated on two staves. The upper staff contains the editorial realization. This should not be understood *tout court* as a part for the right hand, since certain notes may be intended for the performer's left hand. The lower staff, which as a bass part often has to be played not merely by continuo instruments but also by all the "low" instruments of the orchestra, includes all the bass figures present in the original, which are printed below it. Where necessary, these figures may be corrected by the editor, who will not add any new figures, however. Accidentals precede the figures to which they refer, and cross-strokes indicating the chromatic inflection of a note (6̸) are replaced by the appropriate accidental. The lowering by a semitone of a previously sharpened bass figure is always indicated by the natural sign, although the sources sometimes use the flat sign synonymously. The indications "solo" and "tutti" in the bass, always in small print if editorial, call for changes in the instrumentation of the bass line, which are described more specifically in the *Critical Notes*. Rhythmic figurations in the bass line are not necessarily meant to be performed on all participating instruments; thus, rapid scales may be left to the stringed bass instruments, while the harpsichord may split sustained bass notes into shorter values, where this conforms to the general rhythm of the piece.

Embellishments normally required by the performing conventions of Vivaldi's age are supplied editorially, appearing in round brackets, if absent in the source. If the source indicates or implies a cadenza, this will be pointed out in the *Critical Notes*, but normally no specimen of one will be supplied.

Sonata per oboe, violino e organo obbligato, con chalumeau ad libitum F XVI, 11 (RV 779)

20

30

5
4
♯3
3
40
♯

tr
tr
50

Tasto solo

60

70

Tasto solo
Adagio
80
(arpeggio) *
segue

Allegro
(tr)
tr
7
7
7
7
7
7
7
7
6
5

10
tr
tr
(tr)
7
7

20

tr
7
6
5

30

40

(tr)
tr
tr
5 7
7
50
7
7

2 6
2 6 2 6 2 6 2 6 6 5 7
Tasto solo. Pedale

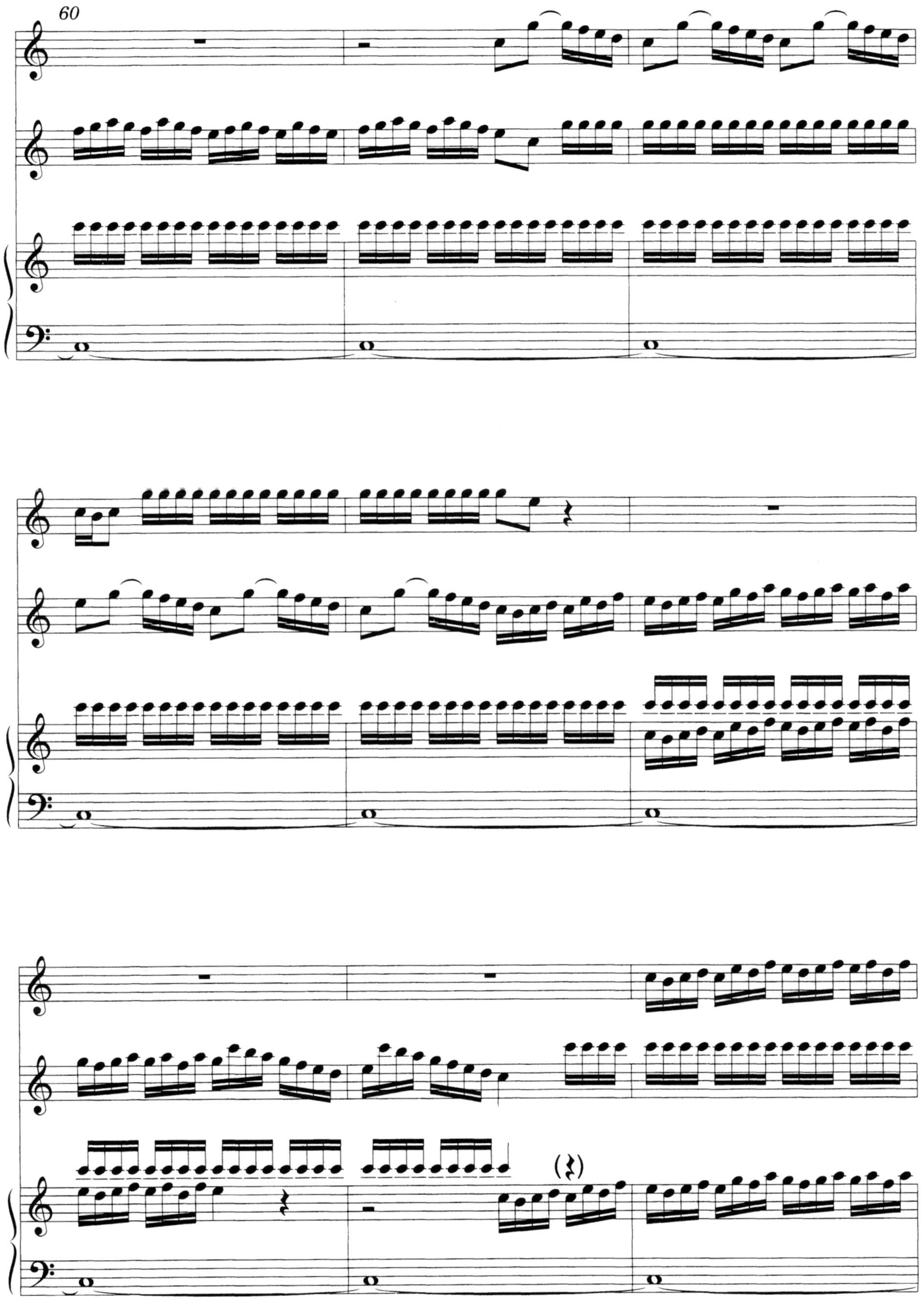
60

70
(senza pedale)
Tasto solo. Pedale

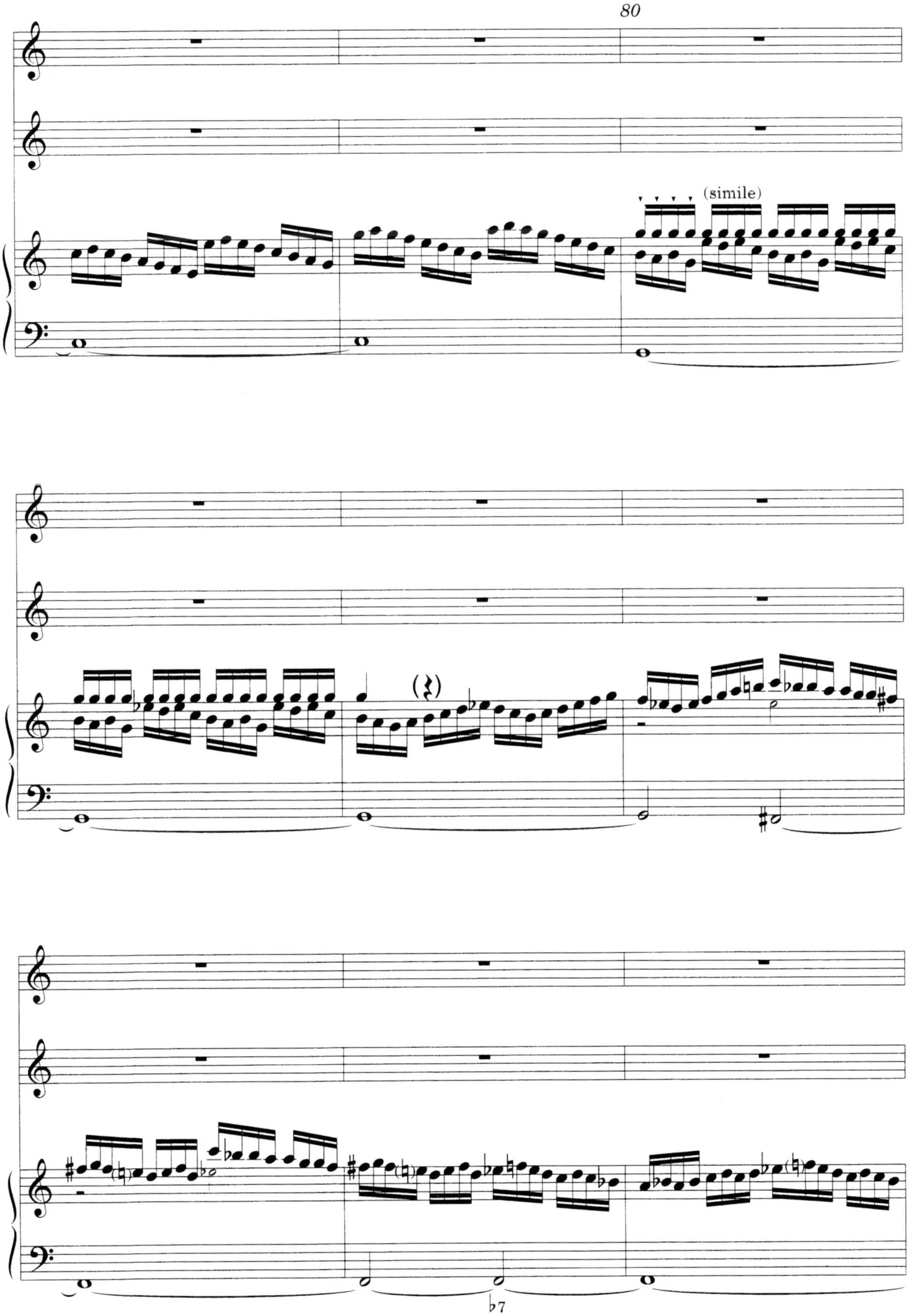
80
(simile)
♭7

(arpeggio)*
90
Adagio

*
segue

Largo e cantabile

Si accompagnia sola[men]te la p[ri]ma nota del batter, e levar. *

* v. Note critiche / *see Critical Notes*

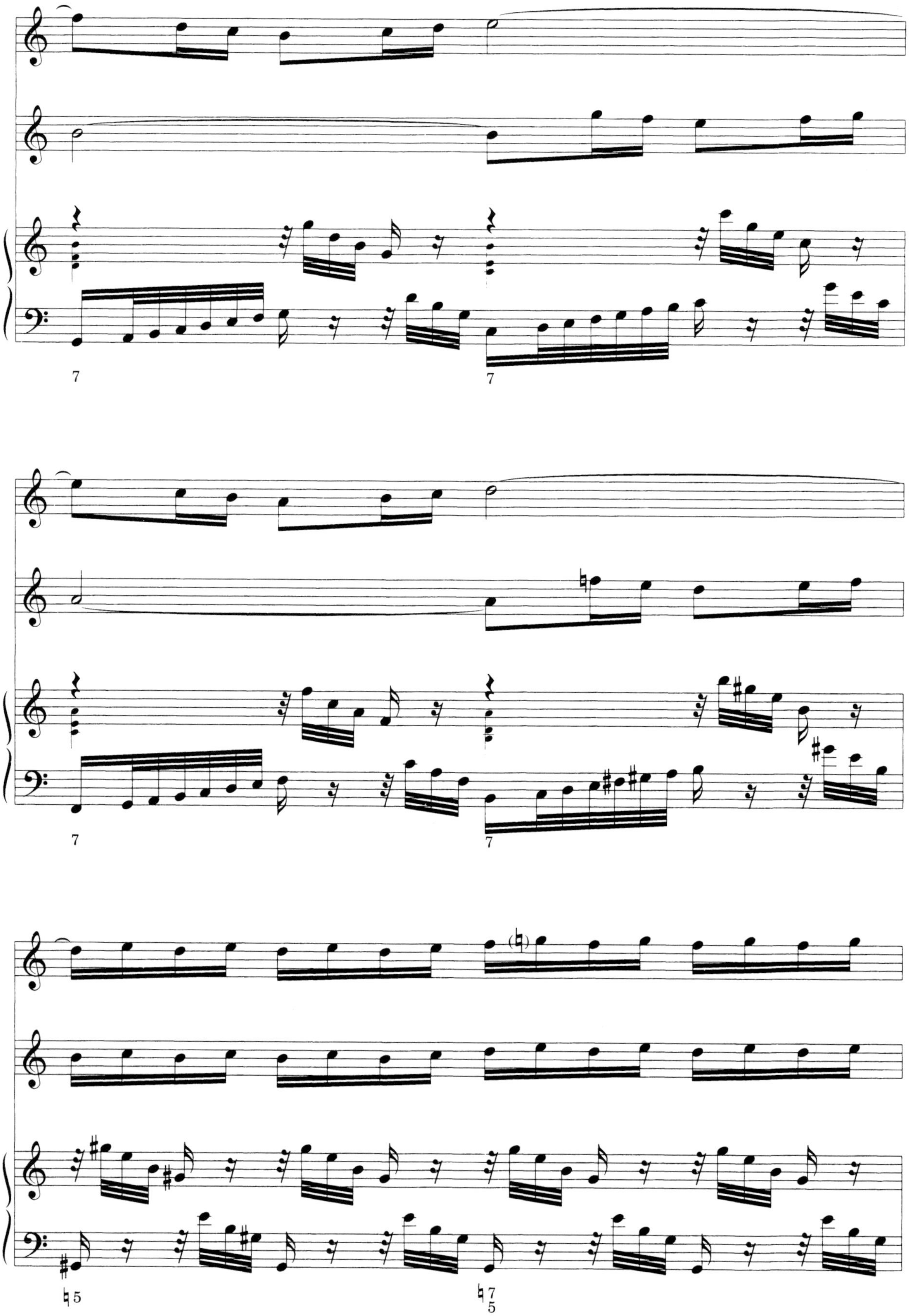

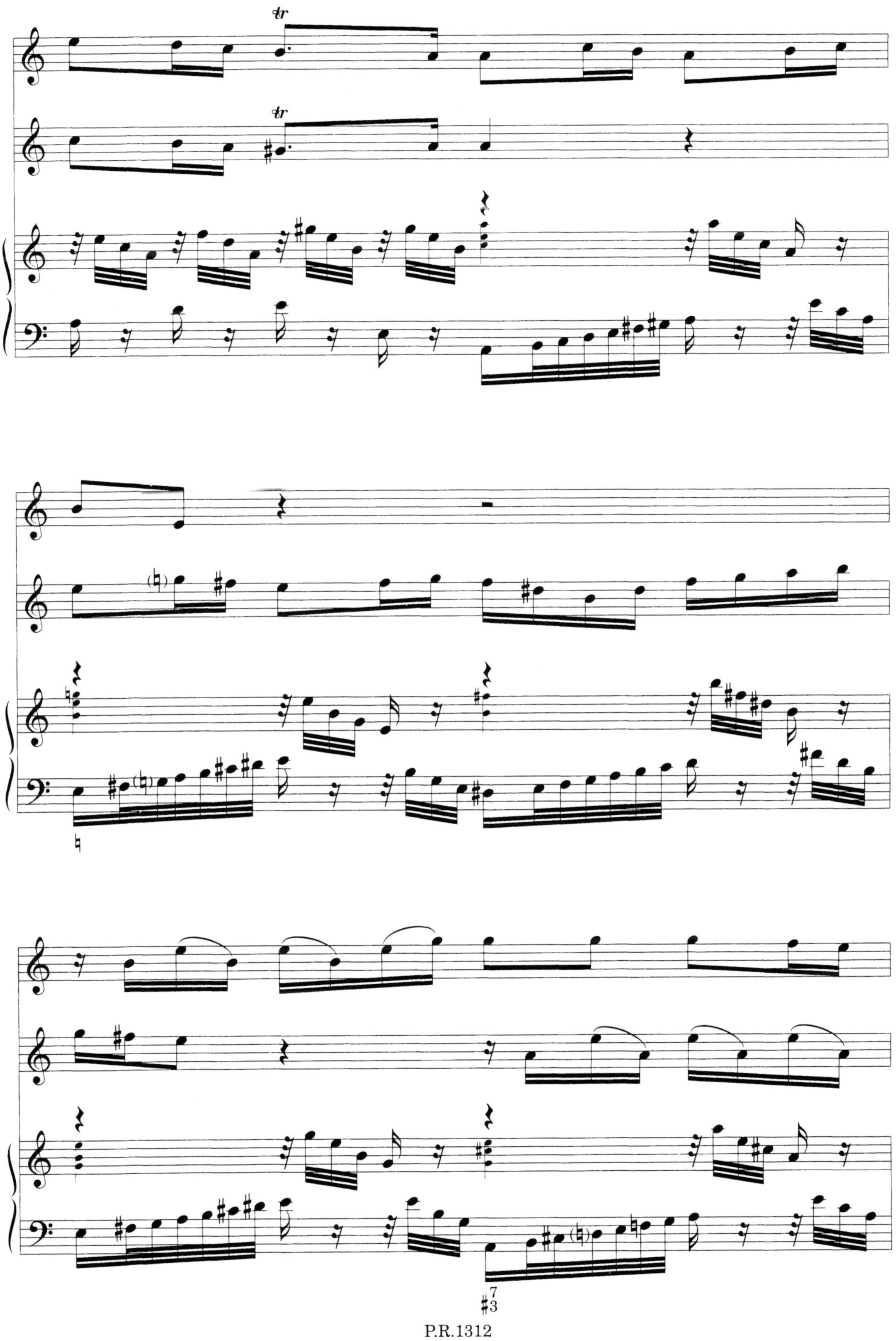
tr
tr

10
7
5
4
3

(tr)
(tr)
tr
tr

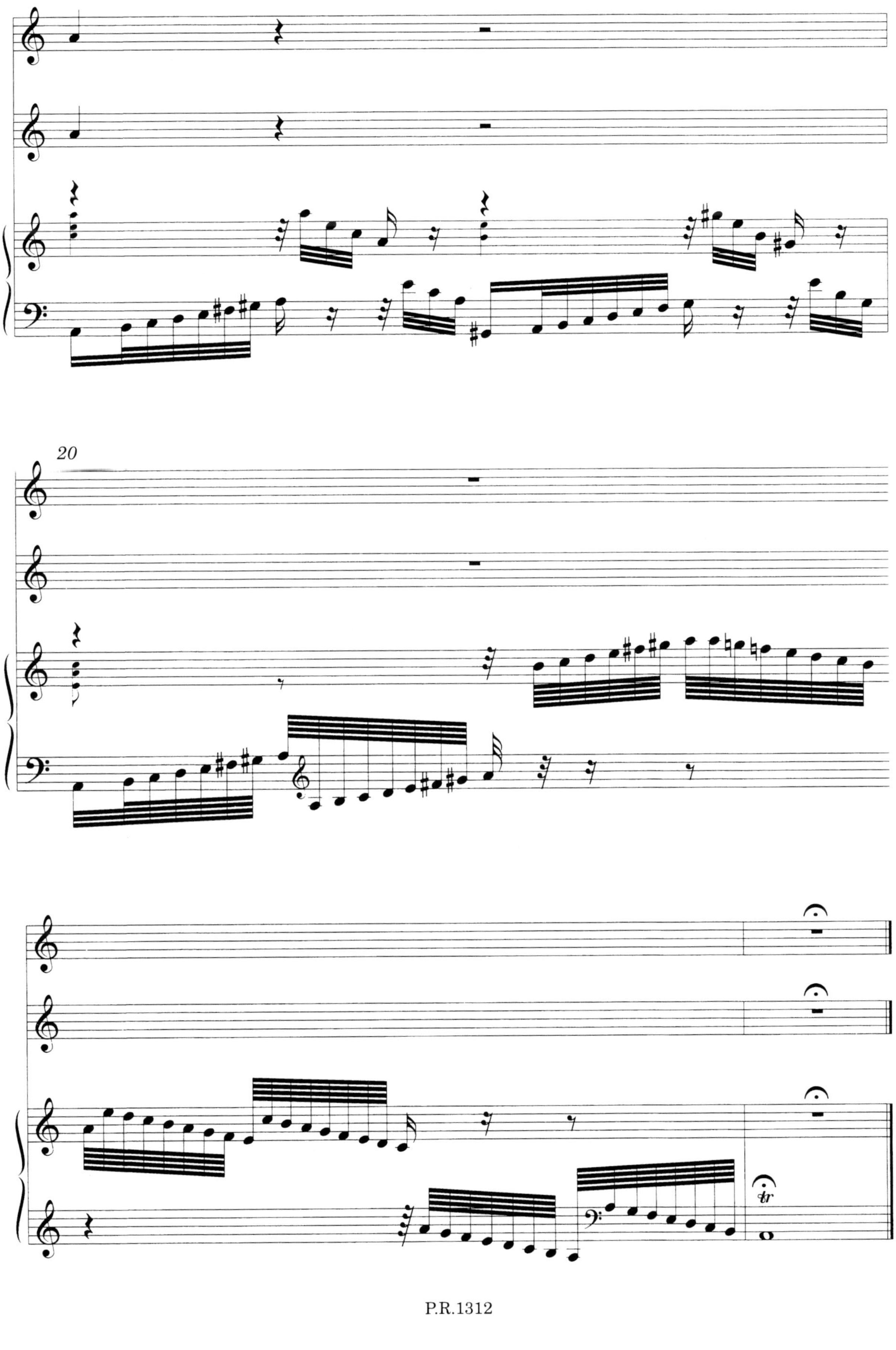
20
tr

Allegro
tr
10
6
5

6
5
7
5
4
3
20
6
5
6
5
6
5
6
5
7

30
40

tr
50
tr
tr

60
tr

tr
tr
90

100

110
120

(tr)
130
tr

140

150
160

tr
7
170
(simile)

180

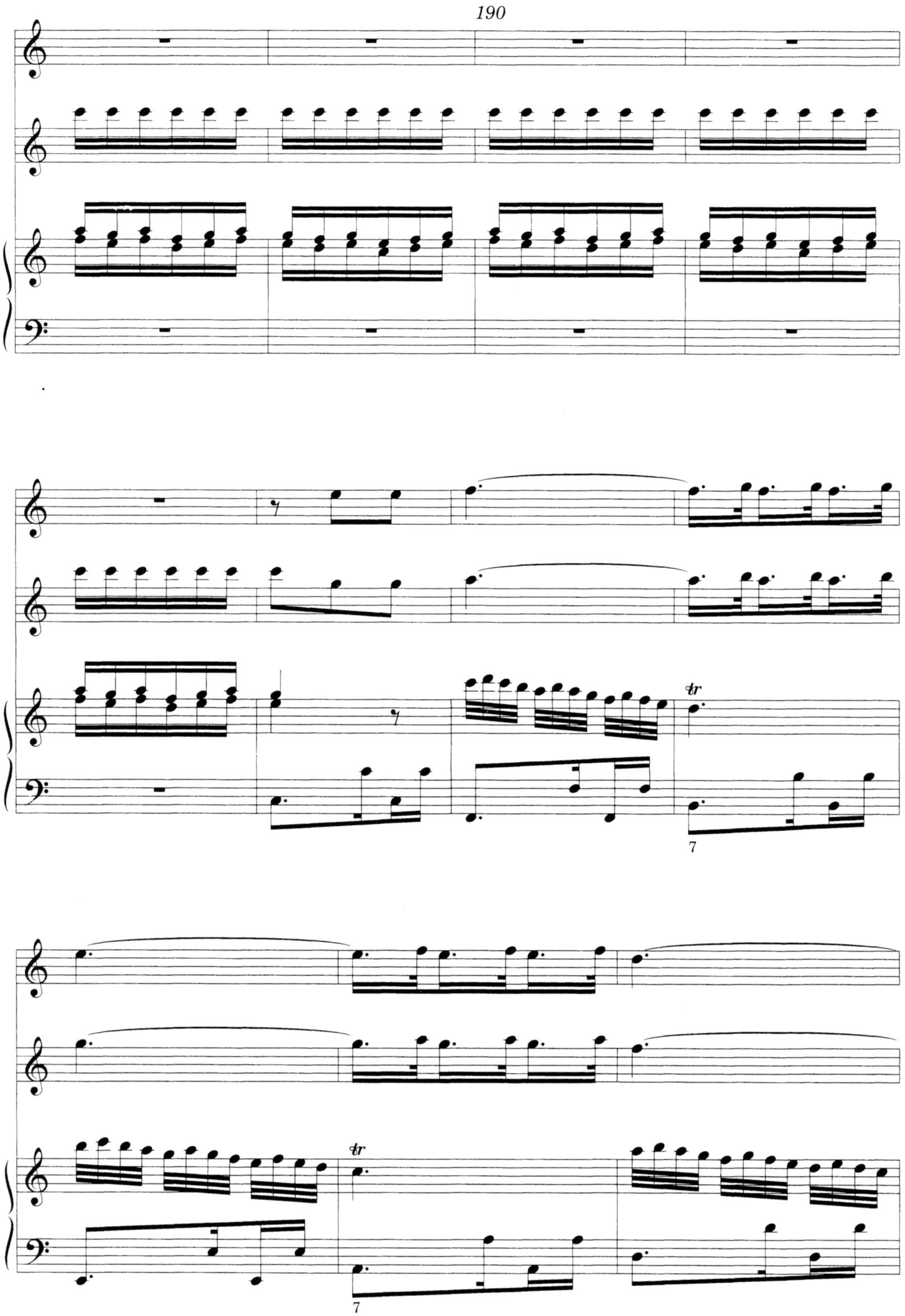
190
tr
7
tr
7

200
tr
7
(simile)
(simile)
tr
tr
7

210
tr
tr
7
tr
7
6
5

Note Critiche

L'unica fonte per questo lavoro è un manoscritto autografo di provenienza veneziana, conservato con la segnatura Mus. 2389-Q-14 nella Sächsische Landesbibliothek di Dresda. Poiché il frontespizio cita il compositore in maniera non esplicita, questa sonata fu ignorata per più di due secoli e fu conservata tra altre opere anonime provenienti dal repertorio settecentesco della corte di Sassonia, sino a che Manfred Fechner, nel febbraio 1976, identificò sia la musica sia la grafia come proprie di Vivaldi.[1] La prima edizione moderna dell'opera, curata dallo stesso studioso, seguì di lì a poco.[2]
La fonte, da annoverare come il più importante documento musicale vivaldiano scoperto in tempi recenti, è preziosissima sia come testimonianza su un periodo dell'attività del compositore sul quale conosciamo ancora pochissimo, sia in quanto unico testo della sonata stessa. Poiché risale agli anni 1706-1710, è probabilmente il più antico manoscritto autografo di Vivaldi giunto sino a noi, e getta luce non solo sul suo stile di composizione meno recente, ma anche sullo stadio più remoto della sua grafia. A differenza di tutte le altre sue composizioni strumentali, il testo della sonata contiene segni inconfondibili del fatto che fu scritta ed eseguita per l'Ospedale della Pietà, alle cui dipendenze Vivaldi fu in un primo tempo come maestro di violino dal 1703 al 1709. Il significato musicale del lavoro è estremamente importante anche sotto altri punti di vista, in particolare perché fornisce il primo — e tecnicamente il più impegnativo — esempio dell'inconsueto uso, da parte di Vivaldi, dell'organo come strumento obbligato. La cadenza che conclude il secondo movimento è in realtà il passo più lungo di scrittura per uno strumento a tastiera che noi conosciamo di Vivaldi. Era anche estremamente raro per qualsiasi compositore attivo fuori dei paesi di lingua tedesca specificare l'uso, opzionale o meno, dello chalumeau; il presente esempio precorre quello dell'oratorio *Juditha triumphans* (scritto anch'esso per la Pietà) e — per quanto ne sappiamo — non ha precedenti in Italia. Infine, il lavoro occupa una posizione unica tra le composizioni di Vivaldi in quanto è la sua unica sonata a quattro (considerando la parte della mano destra dell'organo come una parte melodica solista e non prendendo in considerazione la *Suonata à 4 al Santo Sepolcro*, RV 130, per archi e continuo), anche se la sua stessa esistenza fa supporre che il compositore scrisse esempi simili che non sono giunti sino a noi. Le basi per queste e per altre conclusioni si possono trovare nella letteratura critica esistente sul lavoro, alla quale rimandiamo il lettore.[3] Noi limiteremo le nostre considerazioni a una breve descrizione della fonte e della sua storia, nonché alle questioni pertinenti all'esecuzione dell'opera.
Come altri manoscritti di Dresda che hanno simile provenienza, la fonte è contenuta in una cartella risalente agli ultimi decenni del Settecento, quando questa sezione della raccolta musicale di Corte fu catalogata e posta nella *Hofkirche*. Un'etichetta manoscritta, riferita al luogo (scomparto e posizione, *Fach* e *Lage*) nel quale la musica era conservata in un grande armadio (*Schrank No: II*) dice: «Schranck No: II / 37.Fach 46.Lage / No: 39 Trio / Con Violino, Flauto [«Flauto» cancellato e sostituito con «Oboe» da una mano posteriore] e B. / 3. St. / [incipit musicale]». Un'ulteriore etichetta con la segnatura «Cx 1505» fu attaccata dopo l'ascesa al trono di re Giovanni di Sassonia nel 1854, quando il contenuto dello Schrank No. II rientrò in possesso della collezione musicale reale, alla quale fu riunito.
Le undici carte oblunghe del manoscritto, alle quali furono aggiunte in tempi recenti i numeri — sia per le carte stesse sia per le pagine — ci hanno tramandato 18 pagine di testo musicale (cc. 3r-10v / pp. 3-20), tre pagine rigate ma prive di musica (cc. 1v, 11r e 11v / pp. 2, 21 e 22) e un frontespizio (c. 1r / p. 1) che dice: «Suonata à Violino, Oboè, et Organo obligati / di D. A. V.». Questo, tra parentesi, è l'unico caso nel quale Vivaldi preferì usare le proprie iniziali al posto di «Don Antonio Vivaldi», un'abitudine che conosciamo dalle parti della Pietà.[4] Nel suo stato originale, tuttavia, il manoscritto mancava dei suoi fogli esterni e non recava pertanto elementi per l'attribuzione; un altro titolo, scritto sopra il primo movimento sulla c. 2r / p. 3 probabilmente nello stesso momento in cui fu notata la musica, dice semplicemente: «Suonata à Viol:° Oboè, et Org:°, et anco se piace il Salmoè.». Le carte congiunte 1 e 11, una doppia carta da musica con dieci righi per pagina, distinta dalla carta a dodici righi scelta inizialmente per contenere la musica in tre sistemi di quattro righi per pagina, furono aggiunte da Vivaldi al fine di inserire in modo sicuro le pagine entro una «cartella» e per fornire spazio per un frontespizio.
Il frontespizio fu vergato probabilmente come semplice promemoria per la persona o le persone

della Pietà che presumibilmente copiarono la musica nelle parti. A parte questo, non c'è ragione di ritenere che il manoscritto fosse in un primo tempo destinato ad altri che a Vivaldi stesso; come infatti provano diverse fonti superstiti appartenenti alle raccolte Foà e Giordano della Biblioteca Nazionale di Torino, non era raro che partiture autografe di Vivaldi, destinate al suo uso e alla sua biblioteca privata, rimanessero prive dell'attribuzione. Con ogni probabilità questa partitura, come altri manoscritti che presero la via di Dresda, fu donata dal compositore come omaggio personale al violinista Johann Georg Pisendel quando quest'ultimo visitò Venezia nel 1716 in compagnia del principe Federico Augusto di Sassonia-Polonia, figlio dell'elettore regnante. Come possiamo desumere dalla scarsità dei manoscritti giovanili delle raccolte torinesi, Vivaldi può avere avuto l'abitudine (per quanto strano possa apparire oggi) di privarsi di manoscritti contenenti composizioni delle quali non possedeva altra copia.

Con l'eccezione della sezione finale del secondo movimento alla c. 6r / p. 11 (vedi l'Apparato critico), la musica è stesa in sistemi di quattro righi, rispettivamente per il violino, l'oboe, la mano destra dell'organo e la mano sinistra dell'organo, raddoppiata dallo chalumeau. Vivaldi designò gli strumenti alla c. 2r, prima dei righi del sistema iniziale del primo movimento, come segue: (1) «Sig:ra Prudenza / Viol:o»; (2) «Sig:ra Pellegrina / Oboè»; (3) «Sig:ra Lucietta / Organo»; (4) «Sig:ra Candida / Salmoè / Se piace». Per quanto concerne le esecutrici, a noi basta notare che tutte e quattro le «signore» sono note — da documenti contemporanei — come importanti *figlie di coro* attive alla Pietà attorno agli anni 1706-1707, e che Lucietta fu segnalata per una menzione speciale come una provetta organista.[5] Ma queste non sono le uniche annotazioni concernenti la strumentazione; Vivaldi ne aggiunse altre che riflettono da parte sua l'intenzione di realizzare una versione della partitura per due violini, oboe e basso continuo. Questa idea, evidentemente, fu presto abbandonata prima che qualsiasi porzione del testo di questa fonte fosse modificata; le iscrizioni autografe aggiunte sono poche e si limitano alle prime due pagine del testo: «Violino Primo», «Oboè», «Violino 2do.» e «Basso» oltre il limite destro dei quattro righi, rispettivamente, del primo sistema della c. 2r, e due annotazioni sopra frasi musicali della c. 2v (vedi i commenti dell'Apparato critico per le bb. 33 e 39 del primo movimento).

La scrittura di Vivaldi rimane ordinata e accuratamente vergata per tutta la partitura; la musica è, in effetti, in gran parte priva del genere di errori e di abbreviazioni che sono tipici delle sue prime stesure; di fatto egli annotò con diligenza tutti gli accidenti necessari e tutti i trilli che voleva fossero eseguiti. Tuttavia certe caratteristiche della struttura fisica del manoscritto non permettono una semplice classificazione della fonte vuoi come un autografo di lavoro, vuoi come una bella copia autografa ottenuta da un precedente abbozzo. La singolare incollatura di tre doppie carte (le coppie congiunte delle cc. 2 e 8, 3 e 7, 4 e 6) con tre carte separate (cc. 5, 9 e 10) fa pensare che Vivaldi possa aver riveduto sezioni del testo musicale tagliando via una o più carte che aveva già cominciato a riempire con la notazione musicale; Vivaldi, come altri compositori, di norma preferiva evitare di lasciare nella partitura carte singole, che correvano il pericolo di andare perdute e — in quanto frammentarie — erano difficili da legare insieme con le altre. Fa pensare anche che probabilmente all'inizio del lavoro egli non sapesse esattamente quanta carta da musica la sonata avrebbe occupato alla fine, in quanto due fogli (le cc. 9 e 10) sembrano essere stati aggiunti allo scopo di contenere la parte conclusiva del corposo finale. Con ogni probabilità egli iniziò a mettere insieme il manoscritto introducendo un quaderno in un altro, al fine di ottenere un fascicolo di otto fogli: una stima ragionevole per un brano da camera di proporzioni medie. Il quaderno esterno di questa organizzazione comprende le attuali cc. 2, 3, 7 e 8; il quaderno interno inserito avrebbe dovuto consistere della doppia carta c. 4 e c. 6 e di una seconda doppia carta: la c. 5 e la carta alla quale era originariamente congiunta. Alla fine l'opera risultò essere più lunga di quanto Vivaldi avesse potuto prevedere; è possibile che certi passi — forse le cadenze che concludono i primi due movimenti — non siano stati presi in considerazione nella previsione originaria in quanto sino a quel momento egli non aveva mai concepito nulla di simile.

L'aspetto più intrigante di tutta la questione è l'assenza di un foglio congiunto con la c. 5. Presupponendo che fosse tra le cc. 5 e 6 e contenesse il testo del secondo movimento successivo alla c. 5v (dalla metà della b. 77), potremmo supporre che Vivaldi lo eliminò in quanto desiderava sostituire una prima versione della conclusione di questo movimento con l'attuale straordinaria cadenza. Il fatto che le bb. 77-95, notate sulla c. 6r, sono l'unico passaggio per il quale Vivaldi non usò sistemi di quattro righi, potrebbe essere il segno di una sostanziale revisione che si impose prima che egli iniziasse a notare il terzo movimento. Certe lezioni, discusse analiticamente altrove,[6] mostrano in effetti che Vivaldi stava inventando nuove soluzioni o forse adattandone altre esistenti, man mano che si inoltrava nella composizione dell'opera. Sulla base delle precedenti considerazioni, la fonte deve essere considerata come un manoscritto di lavoro che non preclude necessariamente l'esistenza di una versione anteriore. Con ogni probabilità appartiene, come molti autografi di Vivaldi, alla categoria delle «copie di composizione» (*composition copy*): un testo che in parte deriva da materiali esistenti e in parte è concepito di bel nuovo.

La maggior parte dei problemi che F XVI, 11 (RV 779) presenta riguardano il tipo di accompagnamento e la partecipazione opzionale dello chalumeau: questioni alle quali torneremo presto. Le parti del violino e dell'oboe, già di per sé molto attive, offrono poche opportunità per l'aggiunta improvvisata di ulteriori abbellimenti, eccetto che nel terzo movimento, nel quale le frasi liriche possono essere un po' variate. In generale sarebbe preferibile che tutti gli esecutori procedessero a variazioni dell'articolazione e a sottili oscillazioni del tempo. Né il compositore né il curatore hanno voluto prescrivere le dinamiche, che devono essere decise dagli esecutori secondo le caratteristiche dei loro strumenti, la sonorità del luogo di esecuzione e la presenza o meno dello chalumeau nel complesso strumentale. I trilli, la maggior parte dei quali è stata specificata dal compositore, dovrebbero di norma iniziare dalla nota superiore; fa un effetto piacevole indugiare un poco sulla prima nota del trillo, a guisa di appoggiatura — un tipo di esecuzione che viene presupposta dalla realizzazione del basso continuo attuata dal curatore.

L'organista assume il doppio ruolo di solista e di accompagnatore, secondo la consuetudine a noi familiare dai concerti per strumento a tastiera di J. S. Bach e di Handel. La maggioranza dei passi della parte superiore scritti dallo stesso Vivaldi ha una funzione solistica; tuttavia la parte dell'organo nel terzo movimento, notevolmente complessa, deve essere considerata piuttosto come un accompagnamento di tipo «strutturale» (*textural*), che si incontra comunemente nei movimenti lenti dei suoi concerti. Altrove, nel rigo superiore della parte dell'organo, la fonte segna delle pause; la maggior parte di quelle che figurano per intere battute è stata omessa in questa edizione senza avvertenze ulteriori. Non c'è dubbio infatti che, dal momento che il basso cifrato di Vivaldi è presente in maniera intermittente nei passi di entrambi i tipi (nei quali parti acute per l'organo sono specificate ovvero sono omesse), la realizzazione del basso continuo è opportuna in quasi ogni situazione. Questo è confermato dall'esistenza di una prescrizione autografa all'inizio del terzo movimento: «Si accompagnia sola[men]te la p[ri]ma nota del batter, e levar».

Occorre essere viceversa prudenti per quanto riguarda l'entità e il tipo dell'accompagnamento negli altri movimenti, e la realizzazione del curatore, stampata in note più piccole, è naturalmente solo una proposta. Il nostro criterio è stato quello di mantenere piuttosto semplici i suggerimenti scritti per esteso: essi presuppongono pertanto una elaborazione. Per tale ragione non abbiamo cercato di arricchire, attraverso interventi editoriali, l'armonia in ogni passaggio per il quale Vivaldi ha fornito delle note acute. Il contributo solistico dell'organo in molti passi (bb. 9-19 del finale, per esempio) è già autosufficiente dal punto di vista armonico; l'esecutore può elaborarlo ulteriormente (secondo la numerica del compositore) seguendo il proprio gusto e il grado di virtuosismo adatto al contesto dell'esecuzione. Non possiamo comunque essere sicuri del fatto che Vivaldi volesse, per le cadenze conclusive del primo e del secondo movimento, un tipo di interpretazione decisamente più complessa di quanto suggeriscano le note della partitura. Lo stesso potrebbe dirsi dei passi nei quali la mano destra dell'organo interreagisce come «solista» con il violino e con l'oboe (primo movimento, bb. 22-32, per esempio); occorre evitare di eseguire ulteriori note che possano disturbare il delicato equilibrio delle parti melodiche.

Naturalmente, qualsiasi interpretazione della parte dell'organo, sia notata sia improvvisata, dovrebbe avere come punto di riferimento le possibilità tecniche del tipo di strumento italiano usato alla Pietà, per il quale Vivaldi scrisse probabilmente la parte; uno strumento dotato di un unico manuale con una pedaliera comprendente non più di due ottave a partire dal *do*^{1}, con un'ottava bassa «corta» priva di tutte le note cromatiche ad esclusione del *si*^{1} *bemolle*. Una registrazione di otto piedi per l'intero lavoro potrebbe essere la soluzione ideale. La nota più alta ottenibile su questo tipo di organi era *do*^{5}; alle bb. 164 e 194 del finale ricorre la nota *re*^{5}, forse solo per il fatto che Vivaldi si dimenticò di un limite del quale sembra abbia tenuto conto in altri passi.[7]

Per l'unica volta nelle sue opere comprendenti l'organo, il compositore ha indicato «pedale» per due note tenute del basso (che iniziano alle bb. 57 e 75 del secondo movimento), e non c'è ragione di non usare la pedaliera anche altrove per tali note tenute, eccetto che in un caso. È probabile, come ha notato per primo Fechner,[8] che il *fa*^{1} *diesis* alle bb. 83-93 del secondo movimento si potesse ottenere solo sul manuale, una restrizione tecnica che deve porre un limite al virtuosismo nell'esecuzione della cadenza.
Sembrerebbe, per quanto risulta sulla base delle conoscenze attuali, che il «salmoè» di Vivaldi fosse uno chalumeau dotato di due chiavi, piuttosto che un altro strumento ad ancia.[9] (Questo, naturalmente, non deve impedire agli attuali esecutori di sostituirlo con un fagotto — uno strumento regolarmente prescritto da Vivaldi per far da sostegno all'oboe — se si desidera un rafforzamento della linea del basso). Questa edizione non tenta di ricostruire la parte dello chalumeau che può essere stata eseguita alla Pietà: sarebbe impossibile farlo con un sufficiente grado di sicurezza. Si presume che un esecutore moderno possa essere altrettanto abile di Candida nel realizzare, improvvisando o preparandosi prima, opportuni adattamenti alle note del basso organistico. Lo chalumeau dovrebbe partecipare all'esecuzione nello stile di uno strumento di «ripieno», suonando solo quando l'organo accompagna uno degli ulteriori strumenti (o entrambi) e tacere quando l'organo esegue passi di natura solistica. Nel terzo movimento il suo contributo dovrebbe essere limitato all'esecuzione delle note fondamentali sui tempi principali (il primo e il terzo quarto della b. 1, per esempio) e al primo sedicesimo di ogni tempo nei luoghi nei quali il ritmo armonico è più veloce. Talbot cita il concerto F XII, 37 (RV 558) come un buon modello, nel quale due chalumeaux tenori raddoppiano il basso all'ottava alta.[10] Lo strumento tenore tipo, come quello impiegato nel *Concerto funebre*, F XII, 12 (RV 579), era intonato in *Fa* con una estensione da *fa*^{2} a *si*^{3} *bemolle* e la sua parte era notata in chiave di basso un'ottava sotto rispetto ai suoni reali. Nei concerti F XII, 37 (RV 558) e F XII, 23 (RV 555) le parti coprono l'estensione da *sol*^{2} a *do*^{4} e sono probabilmente per uno chalumeau tagliato in *Sol*. Poiché questi brani sono anch'essi in Do maggiore e poiché non si conoscono opere di Vivaldi per chalumeau basso con estensione *do*^{2}-*fa*^{3}, è probabilmente questo lo strumento che il compositore ebbe in mente per la presente sonata.

Apparato critico

movimento, battuta	strumento	
I, 25	Ob	Nota 5 senza bemolle. Lo stesso a b. 29.
I, 27	Org	Parte superiore: nota 1 oscurata da una macchia d'inchiostro.
I, 27	Org	Parte superiore: nota 4 senza bemolle. Lo stesso a b. 31.
I, 33	Vl	Iscrizione autografa «Oboè» aggiunta in un secondo tempo.
I, 39	Org	Rigo superiore: iscrizione autografa «Viol:° Pmo» aggiunta in un secondo tempo.
I, 46	Ob	Nota 8 senza diesis.
I, 47	Ob	Il segno di bequadro con funzione di precauzione appare sopra la nota 11, anche se probabilmente si riferisce alla nota 10.
I, 66	Org	Rigo inferiore: nota 1 senza punto.
I, 69	Org	Parte superiore: nota 1 quarto seguito da pausa di un quarto.
II, 8	Org	Rigo inferiore: notato in chiave di tenore sino alla fine della b. 9. Lo stesso nei passi seguenti: bb. 11-12; b. 23 (tempi 1-2); b. 24 (tempi 1-2); da b. 31 (4° tempo) sino a b. 33 (nota 3); b. 38 (tempi 3-4); b. 39 (tempi 3-4); da b. 41 (4° tempo) sino a b. 43 (nota 3); b. 51 (tempi 3-4); b. 52 (tempi 3-4).
II, 58	Org	Rigo inferiore: la nota pedale nelle bb. 58-69 è scritta in minime legate. Lo stesso alle bb. 76-79, 80-82 e 84-93.

II, 77	Vl, Ob	L'omissione dal manoscritto del testo delle parti di violino e di oboe a partire dal terzo tempo della b. 77 significa che gli strumenti tacciono. Completando il movimento a p. 11, Vivaldi mise in partitura solo la parte restante della cadenza dell'organo, su sistemi di due righi ciascuno.
II, 84	Org	Parte superiore: nota 3 senza diesis. Lo stesso a b. 85.
II, 85	Org	Parte superiore: nota 11 senza bemolle. Lo stesso alle bb. 86 e 87.
II, 86	Org	Parte superiore: nota 3 *si*^{3} *bequadro*.
II, 88	Org	Parte superiore: nota 7 senza diesis.
II, 92	Org	Parte superiore: note 7, 9 e 11 senza bemolle.
III	Org	Vivaldi usa regolarmente la chiave di tenore nel rigo inferiore: in corrispondenza con la quarta e l'ottava croma alla b. 1, per esempio, e in tutti i contesti simili nei quali ricorrono suoni acuti.
III, 12	Org	Rigo superiore: nota 2 corretta rispetto a un originario *sol*^{4}.
III, 13	Ob	Nota 9 *re*^{3}.
III, 16	Org	Rigo inferiore: un ulteriore trentaduesimo (*la*^{1}) appare tra le note 15 e 16, unito da trattino con le note 8-15.
III, 17	Org	Rigo inferiore: chiave di basso (richiesta per eliminare l'effetto di una precedente chiave di tenore) omessa prima della nota 9. Lo stesso prima della nota 5 a b. 18.
III, 20	Org	Rigo inferiore: nota 8 trentaduesimo.
IV, 34	Org	Rigo inferiore, nota 3: cifratura posta erroneamente sopra la nota 2.
IV, 47	Vl	Note 5-8 trentaduesimi.
IV, 74	Ob	Nota 4 *do*^{4} *bequadro*.
IV, 79	Org	Rigo inferiore: battuta notata in chiave di tenore.
IV, 95	Org	Rigo inferiore, nota 3: cifratura posta erroneamente tra le note 1 e 2.
IV, 208	Vl	Nota 5 sedicesimo.

(*Traduzione di Francesco Degrada*)

Note

1 La scoperta fu resa pubblica per la prima volta nel «Neues Deutschland» del 27 marzo 1976. La segnatura attuale del manoscritto risale a quell'epoca e sostituisce «Mus. 2-Q-10» che anteriormente si riferiva alla fonte anonima.

2 A. Vivaldi, *Sonate C-Dur für Violine, Oboe, obligate Orgel und Fagott ad lib.*, a cura di M. Fechner, Leipzig, Peters, 1978.

3 L'apparato critico per l'edizione citata alla nota 2 e M. Talbot, *A Vivaldi Sonata with Obbligato Organ in Dresden*, «The Organ Yearbook», 12 (1981), pp. 81-103. Poiché il curatore ha consultato solo un microfilm del manoscritto, certe osservazioni sulla struttura fisica del manoscritto stesso si basano sulla descrizione più analitica fornita da Talbot.

4 Vedi M. Talbot, *A Vivaldi Discovery at the Conservatorio «Benedetto Marcello»*, «Informazioni e studi vivaldiani», 3 (1982), pp. 3-12: 8-9.

5 Per altri particolari, vedi Talbot, *A Vivaldi Sonata with Obbligato Organ* cit., pp. 86-87.

6 *Ibid.*, pp. 91-93.

7 *Loc. cit.* Una possibile modifica, descritta da Talbot, fu forse sollecitata dalla necessità di evitare il *re*^{5}.

8 Nel commento all'edizione citata alla nota 2.

9 Sullo chalumeau e sull'uso fattone da Vivaldi, vedi M. Talbot, *Vivaldi e lo chalumeau*, «Rivista Italiana di Musicologia», 15 (1980), pp. 153-181.

10 M. Talbot, *A Vivaldi Sonata with Obbligato Organ* cit., pp. 88-89 e 94.

Critical Notes

The sole source for the present work is an autograph manuscript of Venetian provenance, preserved, with the shelfmark Mus. 2389-Q-14, in the Sächsische Landesbibliothek, Dresden. Because its title-page identifies the composer only obliquely, it existed, for more than two centuries, in oblivion among other anonyma *originating from the eighteenth-century musical repertory of the court of Saxony until Manfred Fechner, in February 1976, identified both the music and its handwriting as Vivaldi's.*[1] *The first modern edition of the work, prepared by the same scholar, quickly followed.*[2]
Ranking as the most important musical document of Vivaldi to have been discovered in recent years, the source is invaluable as much for the evidence it yields about a period of the composer's activity of which we still know very little as for the unique text of the sonata itself. Since it dates from the years 1706-1710, it is probably his oldest autograph manuscript to have survived, shedding light not only on his early compositional style but also on his early calligraphy. Unlike virtually all other extant autographs of his instrumental works, its text includes unmistakable signs that it was written for and performed at the Ospedale della Pietà, which Vivaldi first served as maestro di violino *in 1703-1709. The work's musical significance is immense in other ways, too, most notably as it furnishes the earliest surviving — and, technically, the most exacting — example of Vivaldi's rare use of the organ as an obbligato instrument. The cadenza that concludes the second movement is in fact his longest passage of keyboard writing known to us. It was also exceedingly rare for any composer active outside German-speaking lands to specify the chalumeau, optionally or not; the present case antedates that of Vivaldi's oratorio* Juditha triumphans *(also written for the Pietà) and was, as far as we are aware, unprecedented in Italy. Finally, the work occupies a unique position among Vivaldi's compositions as the only quartet-sonata (counting the right-hand contribution of the organ as a solo melodic part, and discounting the* Suonata à 4 al Santo Sepolcro, *RV 130, for strings and continuo), although its very existence hints that the composer wrote comparable examples which have not survived. The bases for these conclusions, and for others besides, are to be found in existing literature on the work, to which the reader is referred.*[3] *We will confine our remarks below to a brief description of the source and its history, and to matters pertaining to the work's performance.*
Like other Dresden manuscripts of similar provenance, the source is contained within a folder dating from the late decades of the eighteenth century when this part of the court's music collection was catalogued and stored in the Hofkirche. *A hand-written label, referring to the location (compartment and layer,* Fach *and* Lage*) at which the music was kept in a large cupboard (*Schranck No: II*), reads: "Schranck No: II / 37.Fach 46.Lage / No: 39 Trio / Con Violino, Flauto ["Flauto" deleted and replaced by "Oboe", in a later hand] e B. / 3.St. / [musical incipit]". An additional label, giving the shelfmark "Cx 1505", was affixed following the accession in 1854 of King Johann of Saxony, when the contents of Schranck No. II were repossessed and united with the royal music collection.*
The eleven oblong folios of the manuscript, to which both foliation and pagination numbers have been added in recent times, provide 18 pages of musical text (fols 3r-10v / pp. 3-20), three pages with staves but devoid of text (fols 1v, 11r and 11v / pp. 2, 21 and 22) and a title-page (fol. 1r / p. 1) which reads "Suonata à Violino, Oboè, et Organo obligati. / di D. A. V.". This, incidentally, is the only known case when Vivaldi preferred to use identifying initials in place of "Don Antonio Vivaldi", a practice familiar to us from the Pietà's partbooks.[4] *In its original state, however, the manuscript lacked its outer leaves and was therefore unattributed; another title, superscribed above the first movement on fol. 2r / p. 3 presumably at the time when the music was notated, states merely "Suonata à Viol:° Oboè, et Org:°, et anco se piace il Salmoè.". The conjoined fols 1 and 11, a bifolio of music-paper with ten staves per page distinct from the twelve-stave paper initially selected to accommodate the music in three four-stave systems per page, were added by Vivaldi in order to enclose the pages safely within a "folder" and to provide the space for a title-page.*
The title-page was probably noted simply for the reference of the person or persons at the Pietà who presumably copied the music into partbooks. Aside from this, there is no reason to suspect that the manuscript was at first intended to leave Vivaldi's possession; as several surviving sources in the Foà and Giordano collections in the Biblioteca Nazionale of Turin attest, it was not unusual for autograph scores designed for his own use and retention to remain unattributed. Most probably, this score, like certain other manuscripts which found their way to Dresden, was presented by the composer as a

personal gift to the violinist Johann Georg Pisendel when the latter visited Venice in 1716 in the company of Prince Friedrich August of Saxony-Poland, son of the reigning elector. As we know from the dearth of early manuscripts in the Turin collections, it cannot have been unusual (strange as it may seem today) for Vivaldi, at this stage in his career, to give away manuscripts of whose texts he perhaps possessed no other copy.

Apart from the final portion of the second movement occurring on fol. 6r / p. 11 (see the Critical Commentary), the music is laid out in systems of four staves, respectively for violin, oboe, the right-hand part for the organ and the organ's left-hand part with the doubling chalumeau. Vivaldi gave the instrumental designations on fol. 2r, before the staves of the initial system of the first movement, as follows: (1) "Sig.^{ra} Prudenza / Viol.^{o}"; (2) "Sig.^{ra} Pellegrina / Oboè"; (3) "Sig.^{ra} Lucietta / Organo"; (4) "Sig.^{ra} Candida / Salmoè / Se piace". Regarding the performers, it is enough for our purposes to note that all four "signore" are known, from contemporary accounts, to have been leading figlie di coro *active at the Pietà by 1706-1707, and that Lucietta was singled out for special mention as an outstanding organist.*[5] *But these are not the only annotations concerning instrumentation; Vivaldi added others that reflect an intention on his part to convert the music to a version for two violins, oboe and basso continuo. This thought, evidently, was quickly abandoned before any portion of the present source's text had been altered; the added autograph inscriptions are few and confined to the first two pages of the text: "Violino Primo", "Oboè", "Violino 2do." and "Basso" beyond the ends of the four staves, respectively, of the first system on fol. 2r, and two cues above musical phrases on fol. 2v (see the entries in the Critical Commentary for bars 33 and 39 of the first movement).*

Vivaldi's script remains tidy and carefully executed throughout the score; the music, indeed, is largely free of the kinds of error and abbreviation typically found in his drafts, and virtually all necessary accidentals and intended trills were diligently marked. Nevertheless, certain features of the physical structure of the manuscript negate a simple classification of the source as either a composition draft or an autograph fair copy made from an existing draft. The peculiar collation of three bifolios (conjugate pairings of fols 2 and 8, 3 and 7, 4 and 6) with three separate folios (fols 5, 9 and 10) suggests that Vivaldi may have revised portions of the text by excising one or more folios he had already begun to notate; he, like others, normally preferred to avoid leaving single leaves which were in danger of being lost and difficult to bind by their stubs. It also suggests that he could not have known in advance how much music-paper the sonata would eventually occupy, since two leaves (fols 9 and 10) appear to have been added in order to accommodate the end of the substantial finale. Most probably he began the assembly by nesting one four-leaf quire within another to form a gathering of eight leaves: a sensible estimate for a chamber work of average proportions. The outer quire of this arrangement is the present folios 2, 3, 7 and 8; the nested inner quire would have consisted of the bifolio fols 4 and 6 and a second bifolio: fol. 5 and the leaf to which it was originally joined. In the event, the work proved to be longer than Vivaldi might have anticipated; it is possible that certain passages — the cadenzas that conclude the first two movements, perhaps — were not taken into account in his original estimate because they had not by then been conceived.

The most intriguing symptom of all is the absence of a leaf conjugate with fol. 5. On the assumption that it belonged between fols 5 and 6 and contained text of the second movement following on from the end of fol. 5v (from the middle of bar 77), we might suppose that Vivaldi removed it because he wished to replace an initial version of the conclusion of this movement with the present extraordinary cadenza. The fact that bars 77-95, notated on fol. 6r, are the only passage for which Vivaldi deviated from using four-stave systems might therefore be a sign of a substantial revision having been imposed before the notation of the third movement was begun. Certain textual readings, discussed in detail elsewhere,[6] *show, indeed, that Vivaldi was inventing new ideas, or possibly adapting existing ones, as he progressed. On the basis of the foregoing observations, the source must be regarded as a composition manuscript of a kind which does not necessarily preclude the prior existence of another version. Quite possibly it belongs, with many Vivaldi autographs, to the category of "composition copy": a text that is partly derived from existing materials and partly conceived afresh.*

Most of the problems of performance presented by F XVI, 11 (RV 779) concern the manner of accompaniment and the optional participation of the chalumeau: matters we shall turn to shortly. The active oboe and violin parts leave little room for the extempore addition of further embellishments, except in the third movement where the lyrical phrases may be varied somewhat. Generally speaking, an approach whereby the music is expressed by variations in articulation and the subtle manipulation of tempo is to be preferred by all the performers. Neither the composer nor the editor has sought to prescribe dynamic levels, which are best chosen by the players according to the capacities of their instruments, the sonority of the place of performance and the presence, or not, of the chalumeau in the ensemble. Trills, most of which are specified by the composer, should normally begin on the upper note; it makes a pleasing effect to dwell a little on the opening note in the manner of an appoggiatura — an execution presupposed by the editor's realization of the bass.

In a manner familiar to us from J. S. Bach's and Handel's keyboard concertos, the organist assumes the dual rôle of solo participant and accompanist. Of the many upper-part passages Vivaldi has provided, most have a solo function; the remarkably intricate organ part for the third movement, however, is best regarded as an accompaniment of the "textural" kind commonly found in the slow movements of his concertos. Elsewhere, the upper stave of the organ part in the source gives rests: most of those for whole bars are tacitly omitted in the present edition. There is no doubt, since Vivaldi's figured bass occurs intermittently throughout passages of both kinds (where upper notes for the organ are specified and where they are omitted), that continuo realization is appropriate in almost every context. This is confirmed by the existence of an autograph instruction at the beginning of the third movement: "Si accompagnia sola[men]te la p[ri]ma nota del batter, e levar" ("accompany only the first beat and the up-beat [the third crotchet beat] of the bar").

It is the extent and texture of the accompaniment in the other movements about which one must be circumspect, and the editor's continuo realization, given in small notes, is naturally only a specimen. Our approach has been to keep the written-out suggestions rather simple so that they invite elaboration; because of this, we have not sought to enrich, through editorial intervention, the harmony throughout every passage for which Vivaldi has provided upper notes. The organ's solo contribution in several places (bars 9-19 of the finale, for instance) is already harmonically self-sufficient; a player may elaborate it further (following the composer's figures) according to his taste and the degree of virtuosity appropriate to the context of the performance. We cannot be certain, in any case, that Vivaldi intended the cadenzas concluding the first and second movements to be interpreted in a manner distinctly more complex than the given notes suggest. The same may be said of passages where the right-hand part for the organ interacts as a "soloist" with the violin and the oboe (first movement, bars 22-32, for example); the playing of additional notes must not be allowed to disturb the delicate equilibrium of the melodic voices.

Naturally, any interpretation of the organ part, both notated and improvised, might be guided by the technical possibilities of the kind of Italian instrument used at the Pietà for which Vivaldi was probably writing: a single-manual one with a tracker pedal-board encompassing no more than two octaves upwards from C, *the lower a "short octave" omitting all the chromatic notes except* B flat. *An eight-foot registration throughout would seem to be ideal for the work. The highest note available on most organs of this type was* c^{III}; *the pitch* d^{III} *does occur, in bars 164 and 194 of the finale, but perhaps only because Vivaldi momentarily overlooked a limitation which in other places he appears to have taken into account.*[7] *Uniquely in his works involving organ, the composer has inscribed "pedale" for two long-held bass notes (beginning at bars 57 and 75 in the second movement), and there is no reason not to use the pedal-board for similarly sustained notes elsewhere, except one. It is likely, as Fechner first pointed out,*[8] *that the pitch* F sharp *in bars 83-93 of the second movement could be obtained originally only on the manual — a restriction which must limit virtuosic dexterity in the performance of the cadenza.*

It would seem, as far as existing knowledge allows us to be certain, that Vivaldi's "salmoè" is a two-keyed chalumeau rather than another kind of reed instrument.[9] *(This, of course, does not prevent today's performers from substituting a bassoon — an instrument regularly specified by Vivaldi as a foil to the oboe — if a strengthening of the melodic bass is desired). The present edition does not attempt to reconstruct the chalumeau part which might have been played at the Pietà: it would be impossible to do so with a high degree of certainty. A modern player might be as capable as Candida, one assumes, of fashioning, extempore or in advance, suitable adjustments to the notes of the organ's bass. The chalumeau should presumably participate in the manner of a "ripieno" instrument, playing only when the organ is accompanying one or both of the other instruments and silent when the organ has passages of a soloistic nature. In the third movement, its contribution is best confined to fundamental notes on main beats (the first and third crotchets in bar 1, for instance) and to semiquaver notes on each beat in contexts, like bars 6-7, where the frequency of chords is greater. Talbot cites the concerto F XII, 37 (RV 558) as a good model, in which two tenor chalumeaux frequently double the bass an octave higher.*[10] *The typical tenor instrument, such as that employed in the* Concerto funebre, *F XII, 12 (RV 579), was pitched in* f *with the range* f-b^{I} flat, *its parts notated in the bass clef one octave lower than they sound. In the concertos F XII, 37 (RV 558) and F XII, 23 (RV 555) the parts are of the range* g-c^{II}, *and are possibly for tenor chalumeaux in* g. *Since these works are also in C major, and since Vivaldi is not known ever to have written for the bass chalumeau of the range* c-f^{I}, *it was perhaps this instrument that he had in mind for the present sonata.*

Critical Commentary

movement, bar	*instrument*	
I, 25	*Ob*	*Note 5 without flat. Similarly in bar 29.*
I, 27	*Org*	*Upper part: note 1 obscured by an ink-blot.*
I, 27	*Org*	*Upper part: note 4 without flat. Similarly in bar 31.*
I, 33	*Vl*	*Autograph "Oboè" added later.*
I, 39	*Org*	*Upper stave: autograph "Viol:º Pmo" added later.*
I, 46	*Ob*	*Note 8 without sharp.*
I, 47	*Ob*	*The cautionary natural sign probably intended to apply to note 10 appears above note 11.*
I, 66	*Org*	*Lower stave: note 1 without dot.*
I, 69	*Org*	*Upper part: note 1 crotchet, followed by a crotchet rest.*
II, 8	*Org*	*Lower stave: notated in the tenor clef until the end of bar 9. Similarly, the following passages: bars 11-12; bar 23 (beats 1-2); bar 24 (beats 1-2); bar 31 (beat 4) to bar 33 (note 3); bar 38 (beats 3-4); bar 39 (beats 3-4); bar 41 (beat 4) to bar 43 (note 3); bar 51 (beats 3-4); bar 52 (beats 3-4).*
II, 58	*Org*	*Lower stave: the pedal-note in bars 58-69 is written in tied minims. Similarly in bars 76-79, 80-82 and 84-93.*
II, 77	*Vl, Ob*	*The omission from the manuscript of the text of the violin and oboe parts from beat 3 of bar 77 signifies the instruments' silence. In completing the movement on p. 11, Vivaldi scored only the remainder of the organ's cadenza, on systems of two staves each.*
II, 84	*Org*	*Upper part: note 3 without sharp. Similarly in bar 85.*
II, 85	*Org*	*Upper part: note 11 without flat. Similarly in bars 86 and 87.*
II, 86	*Org*	*Upper part: note 3* b^{I} natural.
II, 88	*Org*	*Upper part: note 7 without sharp.*
II, 92	*Org*	*Upper part: notes 7, 9 and 11 without flat.*
III	*Org*	*Vivaldi regularly employs the tenor clef in the lower stave: for the fourth and eighth quaver beats in bar 1, for example, and all similar contexts where high pitches occur.*
III, 12	*Org*	*Upper stave: note 2 altered from* g^{II}.
III, 13	*Ob*	*Note 9* d^{I}.
III, 16	*Org*	*Lower stave: an extra demisemiquaver, at the pitch* A, *appears between notes 15 and 16, beamed with notes 8-15.*

III, 17	*Org*	*Lower stave: bass clef (required to cancel the effect of a prior tenor clef) omitted before note 9. Similarly before note 5 in bar 18.*
III, 20	*Org*	*Lower stave: note 8 demisemiquaver.*
IV, 34	*Org*	*Lower stave, note 3: figuring misplaced above note 2.*
IV, 47	*Vl*	*Notes 5-8 demisemiquavers.*
IV, 74	*Ob*	*Note 4* c'' natural.
IV, 79	*Org*	*Lower stave: bar notated in the tenor clef.*
IV, 95	*Org*	*Lower stave, note 3: figuring misplaced between notes 1 and 2.*
IV, 208	*Vl*	*Note 5 semiquaver.*

Notes

1. *First publicized in the "Neues Deutschland" of 27 March, 1976. The manuscript's present shelfmark dates from this time and replaces "Mus. 2-Q-10", which formerly denoted the source as an unattributed one.*
2. A. VIVALDI, Sonate C-Dur für Violine, Oboe, obligate Orgel und Fagott ad lib., *ed.* M. FECHNER, *Leipzig, Peters, 1978.*
3. *The critical notes to the edition cited in note 2 and* M. TALBOT, A Vivaldi Sonata with Obbligato Organ in Dresden, *"The Organ Yearbook", 12 (1981), pp. 81-103. Since the present editor has consulted only a microfilm copy of the manuscript, certain observations on the physical construction of the document rely upon the more detailed description provided by Talbot.*
4. *See* M. TALBOT, A Vivaldi Discovery at the Conservatorio "Benedetto Marcello", *"Informazioni e studi vivaldiani", 3 (1982), pp. 3-12: 8-9.*
5. *For further details, see* M. TALBOT, A Vivaldi Sonata with Obbligato Organ *cit., pp. 86-87.*
6. Ibid., *pp. 91-93.*
7. Loc. cit. *One possible revision described by Talbot was perhaps inspired by the need to avoid* d'''.
8. *In his commentary to the edition cited in note 2.*
9. *On the chalumeau and Vivaldi's employment of it see* M. TALBOT, Vivaldi e lo chalumeau, *"Rivista italiana di musicologia", 15 (1980), pp. 153-181.*
10. M. TALBOT, A Vivaldi Sonata with Obbligato Organ *cit., pp. 88-89 and 94.*

violino

Antonio Vivaldi
Sonata per oboe, violino e organo obbligato, con chalumeau ad libitum F XVI, 11 (RV 779)
Revisione di Paul Everett

violino

3
40
9
50
3
tr
3
60
tr
70
Adagio
tr
5
2
80
2

Allegro
6
10
tr
5
tr
20
3
30

6
40
tr
tr
tr
50
2

60
70
4
80
10
90
4
Adagio

Largo e cantabile
tr
10
tr
tr
20

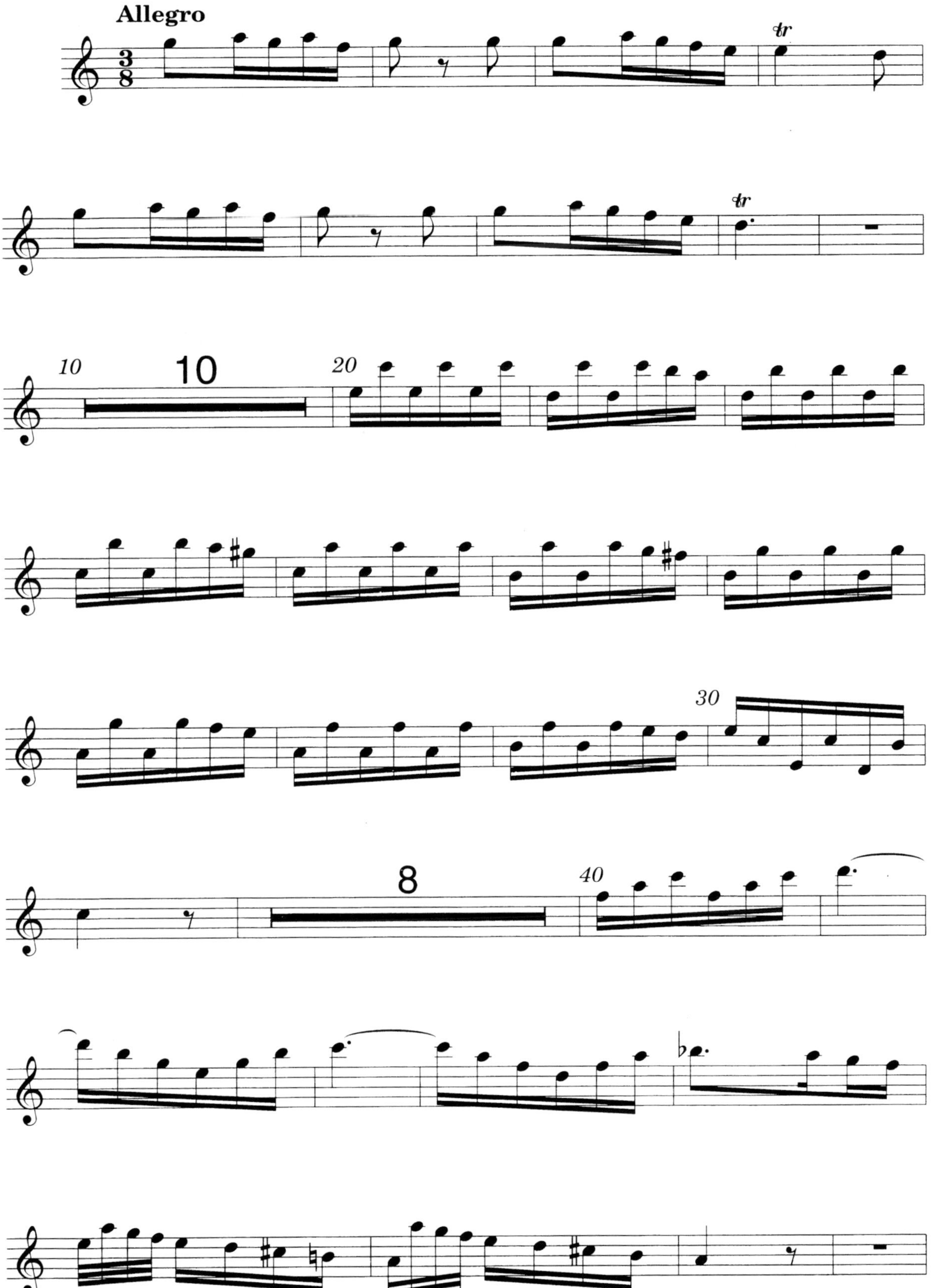
Allegro
tr
tr
10
10
20
30
8
40

50
tr
60
tr
6
70
tr
tr
80
tr
6
90
2
tr
tr
100
10

(simile)

180
190
200
(simile)
210
2

oboe

Antonio Vivaldi
Sonata per oboe, violino e organo obbligato, con chalumeau ad libitum F XVI, 11 (RV 779)
Revisione di Paul Everett

oboe

P.R.1312

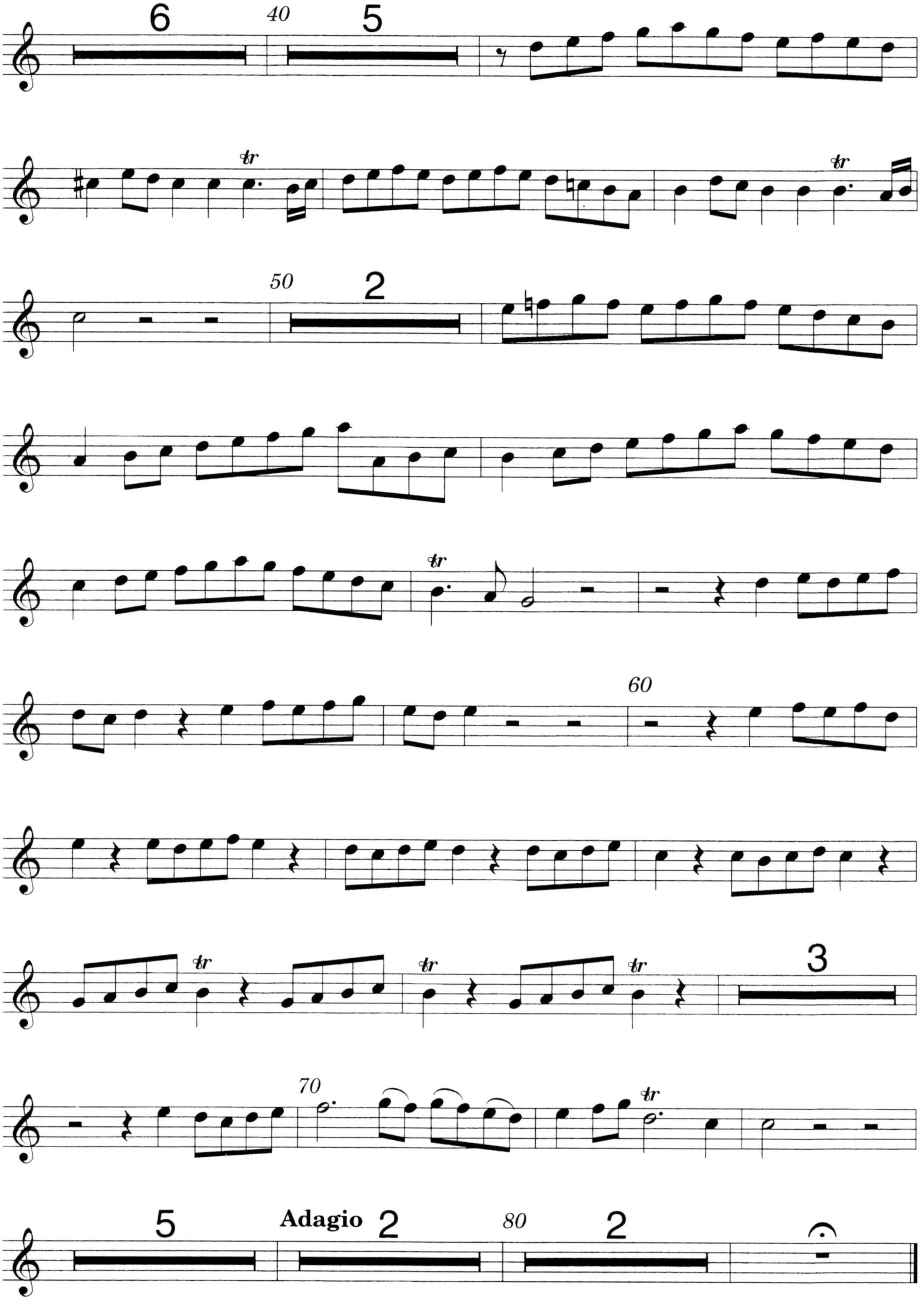
6
40
5
50
2
60
3
70
5
Adagio
2
80
2

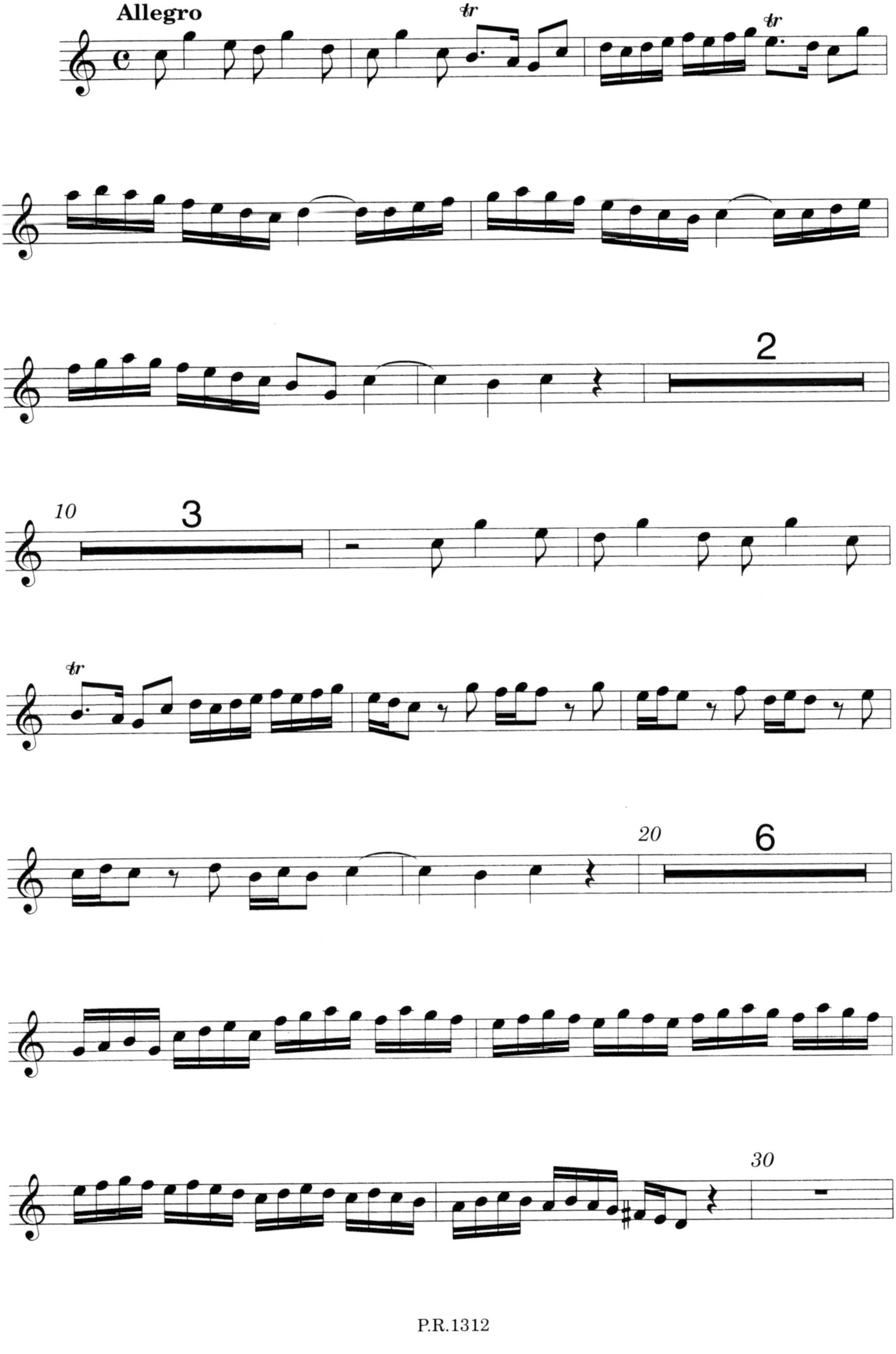
Allegro
tr
tr
2
10
3
tr
20
6
30

40
50
2

60
3
70
4
80
10
90
4
Adagio

Largo e cantabile

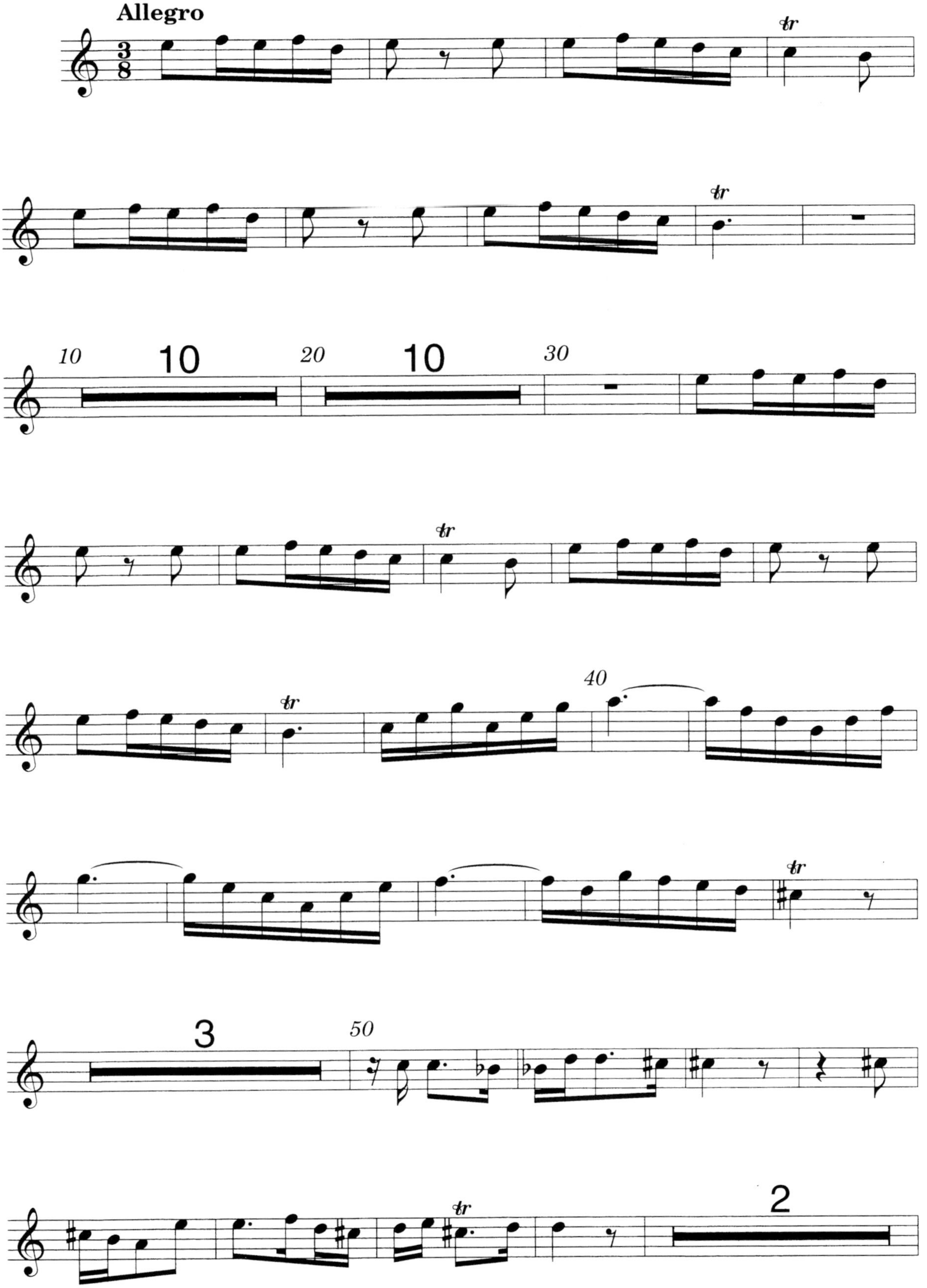
Allegro

60
10
70
tr
tr
80
tr
6
90
2
tr
tr
100
10
110
10
120
2

(simile)

2
190
3
200
(simile)
tr
210
tr
2

Antonio Vivaldi
Sonata per oboe, violino e organo obbligato, con chalumeau ad libitum F XVI, 11 (RV 779)
Revisione di Paul Everett

organo

6 ♯6 5
5 4 ♯3
Tasto solo
60

70
Tasto solo
Adagio
(arpeggio) *
80
*
segue

Allegro
10

40
50

2 6 2 6 2 6
2 6 2 6 6 5 7
Tasto solo. Pedale
60

(senza pedale)
Tasto solo. Pedale
(simile)

♭7
(arpeggio)*
90
Adagio
tr
*
segue

Largo e cantabile

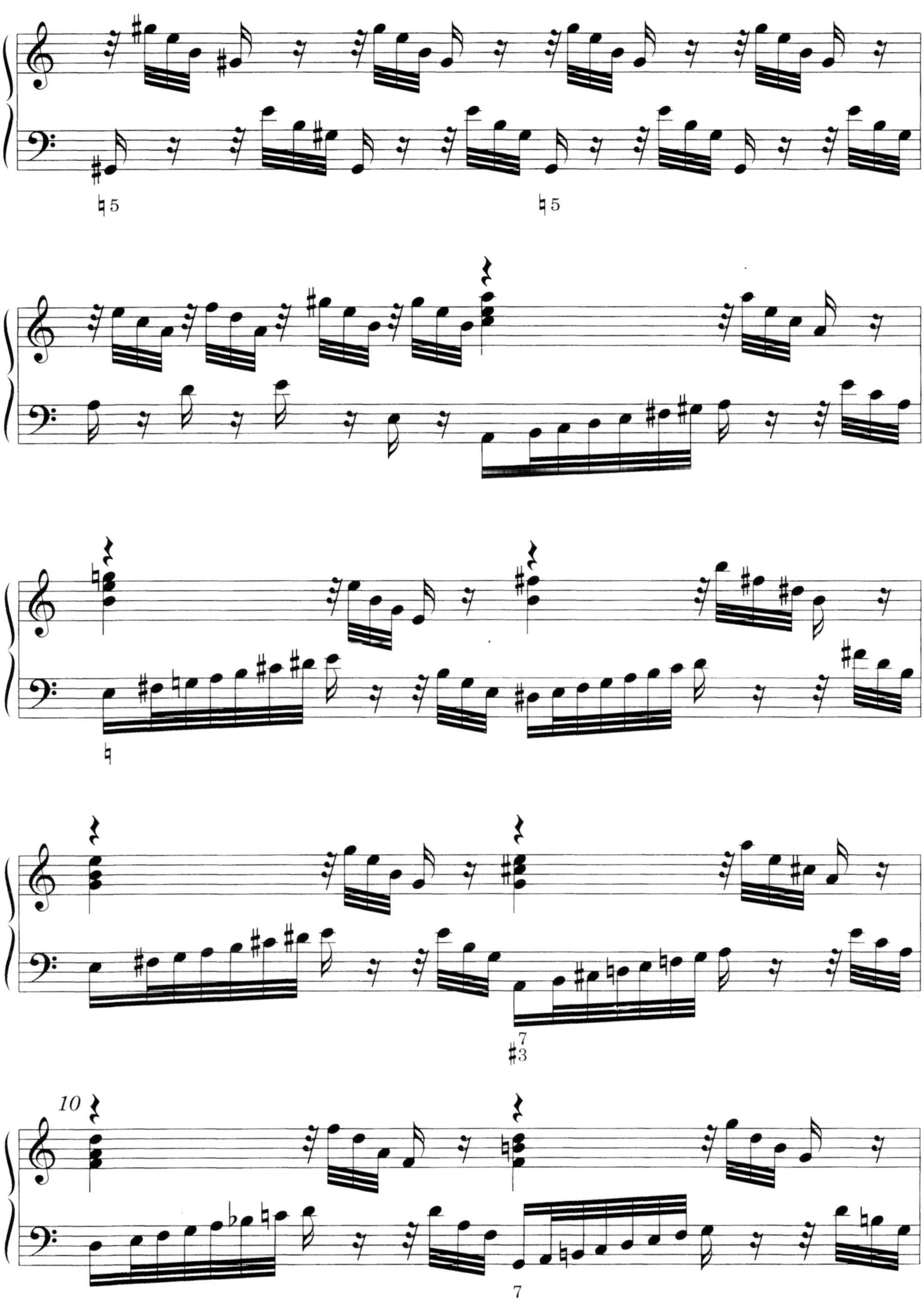

5
4
3

20
tr

Allegro
8
8
10
20
30
tr
tr

40
50
60

100
110
tr
120
130

140
150

160
6
4
5
3
tr
7
tr
tr
170
7

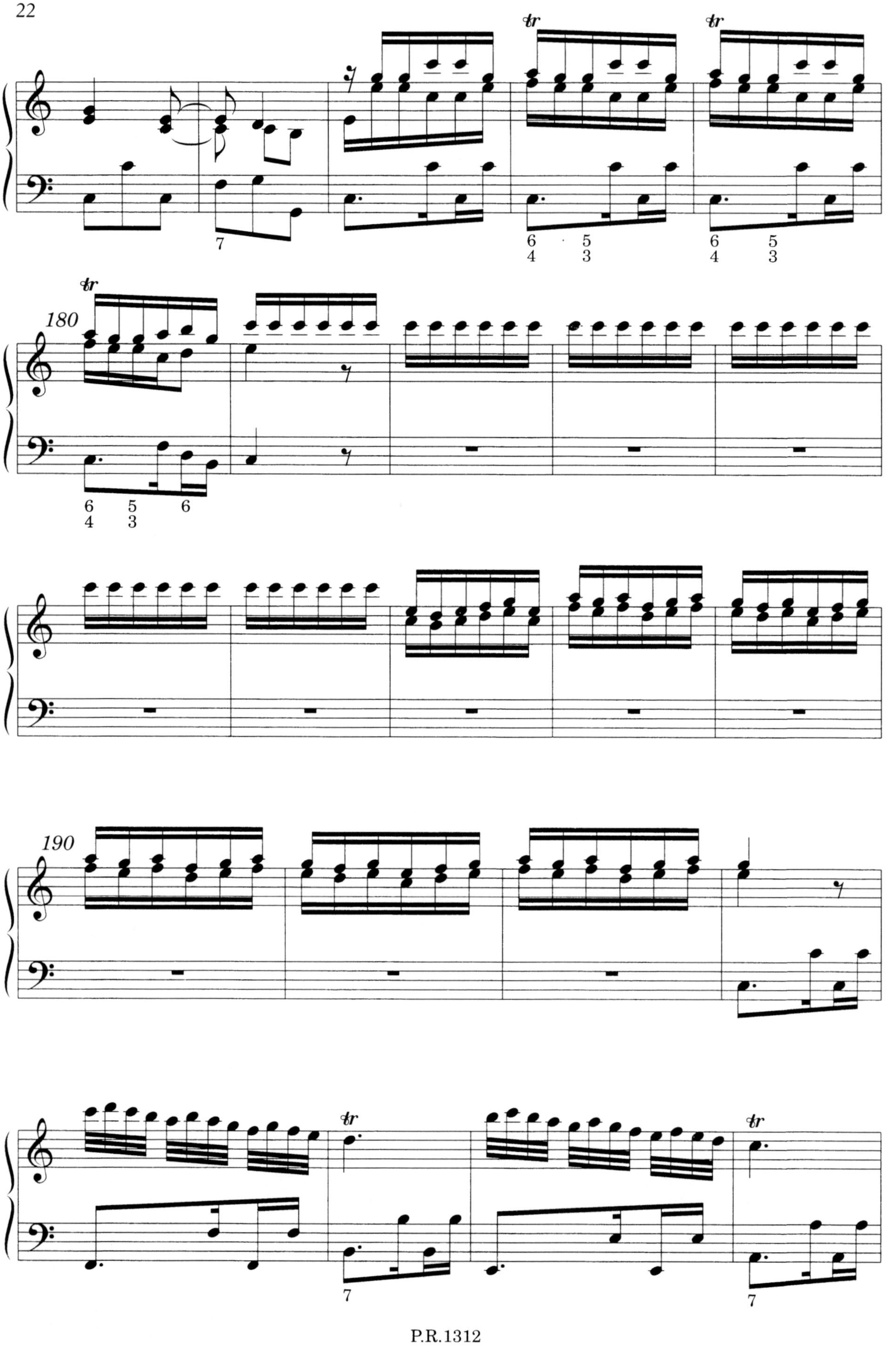
180
190

tr
200
7
7
210
7
tr
7
6
5